KB178104

30cm

손 안에 책을 들었을 때 책과 나의 거리 고작 30cm

여러분은 이 거리를 얼마나 지키고 있나요?

책장과의 거리가 한 달이 되고, 일 년이 되어

혹시 '저거 언제 읽지?' 하는 한숨의 거리가 되어 있진 않나요?

30cm의 컨텐츠팀은 여러분이 스스럼 없이 책을 손에 들 수 있도록,

책이 눈앞에서 멀어지지 않도록,

흥미로운 컨텐츠 개발을 위해 오늘도 노력하고 있습니다.

유용한 영어회화 333 문장

■
2018년 11월 25일 발행 • **지은이** 30cm 영어연구소

펴낸이 박성미 • **펴낸곳** 30cm. 서울시 서대문구 가재울미래로2

이메일 30cmxenglish@naver.com • **출판사등록** 제2018-000062호(2018.08.13)

■
ⓒ 30cm 영어연구소, 2018

본 책은 저작자의 지적 재산으로서 무단 전재와 복제를 금합니다.

ISBN 979-11-89635-00-8 (14740) • 979-11-964653-5-3 (set)

유용한

영어회화

333 문장

정말 쉬운 표현들이다

매일 밥 먹듯 쓰는 표현들이 있습니다. 우리말로 하면 별것 아닌데

영어로는 뭐 대단한 표현이라고 어떻게 말하는지 우물쭈물 대는 걸까요?

이런 표현도 알아만 두면 사실 별것 아닙니다. Any time. 언제라도요.

After you. 먼저 가세요. It hurts! 아파요!

너무 쉬워서 당장 외워서 쓸 수 있을 것 같지 않나요?

이왕이면 원어민 스탈의 표현

나중에 보자는 말을 할 때 See you later.말고 Catch you later.라고

도 말할 수 있다는 것. 같은 표현도 내가 하면 좀 더 원어민스럽게 표현한

다는 자신감을 드립니다. 333개의 문장에는 그런 표현들을 선별해 담았

습니다.

매일 마주치는 웬만한 상황 다 있다

아무리 표현을 많이 담은 책이라도 일상에서 쓸 만한 상황을 만나야겠죠? 여자친구와의 약속을 밥 먹듯이 잊어버리는 남친들은 As I said before, I'll keep my promise. 전에 말한 대로 약속을 지킬게. 아재개그를 듣고 웃기를 강요하는 상사를 씹으면서 As a matter of fact, I never liked his jokes. 사실, 저는 그의 농담을 전혀 좋아하지 않았어요. 이렇게 소소한 대화에서 써먹을 수 있는 표현들이 무려 555개나 있습니다.

딱 한 마디로 내 영어를 돋보이게

Definitely. 당근이죠. 이런 표현은 발음만 잘하면 원어민스럽기 그지없습니다. 적재적소에 쓰는 한마디 표현들은 딱 한 마디 내뱉었을 뿐인데도 영어를 좀 하는구나 하는 인상을 줍니다. 그러니 절대 놓치면 안 되겠죠? 그뿐 아니라 적절한 상황에 써주면 실제 내 영어 실력보다 3배는 레벨업 되어 보이는 표현들이 가득합니다. Can't be better than this. 이 보다 더 좋을 순 없겠죠?

CONTENTS ●

○ **Things will work out all right.**

잘 될 거예요.

> ● work out (일이) 잘 풀리다, 좋게 진행되다

○ **Think nothing of it.**

염려 마세요.

○ **This food is free of preservatives.**

이 음식에는 방부제가 들어 있지 않다.

> ● preservatives (식품) 보존료

○ **Is it possible to stay two more days?**

이틀 더 머물 수 있을까요?

○ **This is just between you and me.**

우리 사이에 비밀인데요.

○ **The subway is always packed with people.**

지하철은 항상 사람들로 꽉 차요.

> ● be packed with ~으로 가득 차다

○ **The suit already has been marked down.**

이 정장은 이미 가격이 내린 상태입니다.

- **This issue is a drop in the bucket.**

  이 사안은 새 발의 피야.

- **This one will be on me.**

  이번 거는 제가 쏠게요.

- **This one?**

  이것 말인가요?

- **This painful memory will eventually fade away.**

  이 고통스러운 기억은 결국에는 서서히 사라질 거예요.

fade away
점차 사라지다

- **Time's up.**

  시간이 다 되었네요.

- **Time will tell.**

  시간이 약이에요.

- **To be fair, we draw lots.**

  공평하기 위해 우리는 추첨을 해요.

- **I will do it, if possible.**

  가급적이면 그렇게 하죠.

- _____.
  잘 될 거예요.

- _____.
  염려 마세요.

- This food is _____.
  이 음식에는 방부제가 들어 있지 않다.

- _____ stay two more days?
  이틀 더 머물 수 있을까요?

- _____ you and me.
  우리 사이에 비밀인데요.

- The subway is always _____.
  지하철은 항상 사람들로 꽉 차요.

- The suit already has been _____.
  이 정장은 이미 가격이 내린 상태입니다.

- This issue is _____.
  이 사안은 새 발의 피야.

- This one _____.
  이번 거는 제가 쏠게요.

- _____?
  이것 말인가요?

- This painful memory will _____.
  이 고통스러운 기억은 결국에는 서서히 사라질 거예요.

- _____.
  시간이 다 되었네요.

- _____.
  시간이 약이에요.

- _____, we draw lots.
  공평하기 위해 우리는 추첨을 해요.

- I will do it, _____.
  가급적이면 그렇게 하죠.

○ **To each his own, I guess.**

각자 자기의 취향이 있는 것 같아요.

○ **To sum it up, you need some exercise!**

요약하자면, 당신은 운동을 좀 해야 한다는 거예요!

○ **To the best of my knowledge.**

적어도 제가 알기로는요.

○ **To top it all off, she starts crying whenever she sees me.**

설상가상으로, 그녀는 절 보기만 하면 울기 시작해요.   ↖ whenever+주어+
동사 ~할 때마다

○ **Too bad!**

안 되었군요.

○ **Too expensive.**

너무 비싸요.

○ **Trust me.**

저를 믿어 보세요.

○ **Try again.**

다시 해 보세요.

○ **Unbelievable.**

믿을 수 없어요.

○ **Unfortunately, this is often not the case.**

안타깝게도, 실제는 종종 그렇지 못하다.

up for (어떤 활동을)
기꺼이 하려고 하는

○ **Up for a cup of coffee?**

커피 한 잔 어때요?

○ **Up to here.**

폭발 일보직전이에요.

○ **Up, or down?**

올라가요, 아님 내려가요?

○ **Veronica stood me up last night.**

베로니카가 어젯밤에 저를 바람 맞혔어요.

stand somebody up
(특히 연인 사이에서)
~를 바람맞히다

○ **Wait a minute.**

잠시만요.

매일 쓰는 유용한 문장 ──

- _____, I guess.
각자 자기의 취향이 있는 것 같아요.

- _____, you need some exercise!
요약하자면, 당신은 운동을 좀 해야 한다는 거예요!

- _____.
적어도 제가 알기로는요.

- _____, she starts crying whenever
she sees me.
설상가상으로, 그녀는 절 보기만 하면 울기 시작해요.

- _____!
안 되었군요.

- _____.
너무 비싸요.

- _____.
저를 믿어 보세요.

○ _____.

다시 해 보세요.

○ _____.

믿을 수 없어요.

○ Unfortunately, this is _____.

안타깝게도, 실제는 종종 그렇지 못하다.

○ _____?

커피 한 잔 어때요?

○ _____.

폭발 일보직전이에요.

○ _____?

올라가요, 아님 내려가요?

○ Veronica _____ last night.

베로니카가 어젯밤에 저를 바람 맞혔어요.

○ _____.

잠시만요.

○ **Wait, I think I'm getting off track.**

아, 대화가 다른 쪽으로 새고 있네요.

○ **I don't know why the hell I'm wasting my breath.**

난 내가 왜 내 입 아프게 말하고 있는지 모르겠어.

➘ waste my breath
입만 아프다. 말해봐야
소용없다

○ **Watch out!**

조심해요.

○ **Watch your language.**

말 조심해요.

○ **Way to go!**

잘 했어!

○ **We all burst into laughter when we heard his answer.**

그의 대답을 들었을 때 우리는 모두 웃음을 터뜨렸어요.

➘ burst into
laughter
웃음이 터지다

○ **We always go grocery shopping together.**

우리는 항상 같이 장을 보러 가요.

- **We appreciate your bringing this problem to our attention.**

  이 문제를 제기해 주셔서 감사합니다.

- **We are falling behind schedule.**

  우리는 예정보다 늦어지고 있어요.

  - **behind schedule**
    일정이 늦어진

- **The water is about to overflow the side of the boat.**

  물결이 뱃전에 넘실거려요.

- **We are in the same boat.**

  같은 처지이네요.

- **We are more than willing to pay the full price.**

  저희는 기꺼이 총 금액을 지불할 수 있어요.

- **We are working on a comprehensive approach.**

  우리는 종합적인 견지에서 접근중입니다.

- **We can encourage each other with pep talks.**

  서로 격려의 말을 할 수 있어요.

  - **encourage**
    격려하다

- **We don't own anything.**

  우리는 가진 게 아무것도 없어.

매일 쓰는 유용한 문장

- Wait, I think I'm _____.
  아. 대화가 다른 쪽으로 새고 있네요.

- I don't know why the hell I'm
  _____.
  난 내가 왜 내 입 아프게 말하고 있는지 모르겠어.

- _____!
  조심해요.

- _____.
  말 조심해요.

- _____!
  잘 했어!

- _____ when we heard his
  answer.
  그의 대답을 들었을 때 우리는 모두 웃음을 터뜨렸어요.

- We always _____ together.
  우리는 항상 같이 장을 보러 가요.

- We appreciate your

  _____.

  이 문제를 제기해 주셔서 감사합니다.

- We are _____.

  우리는 예정보다 늦어지고 있어요.

- The water is about to

  _____.

  물결이 뱃전에 넘실거려요.

- We are _____.

  같은 처지이네요.

- We are more than willing to _____.

  저희는 기꺼이 총 금액을 지불할 수 있어요.

- We are working on _____.

  우리는 종합적인 견지에서 접근 중입니다.

- We can encourage each other _____.

  서로 격려의 말을 할 수 있어요.

- We _____.

  우리는 가진 게 아무것도 없어.

046
>>
060

- ## We're a party of four.
  우리 일행은 모두 4명이에요.

  여기서 **party**는 '단체'를 나타낸다.

- ## We're cogs in the machine.
  우린 기계 부품이에요.

  cog 톱니바퀴의 톱니

- ## We're packed in like sardines.
  아주 초만원이에요.

- ## Welcome home!
  다시 온 것을 환영해요.

- ## Well done.
  잘 했어요.

- ## Well, no doubt you'll like this.
  음, 당신이 분명 좋아하실 거예요.

- ## What's happening?
  어떻게 지내요?

What's it called?

그것을 뭐라고 하지요?

We visit his grave every once in a while.

저희는 때때로 그의 산소를 찾아갑니다.

We will take care of your grandma.

당신의 할머니를 저희가 돌봐드릴게요.

- take care of
  ~를 돌보다

We'll get down to business after this.

이것 다음에 본론으로 들어갈게요.

- get down to business
  본론으로 들어가다

What's new?

별 일 있어요?

What's today's special?

오늘의 특별요리가 무엇이죠?

What a nerve!

뻔뻔하네요.

What a relief!

다행이네요.

매일 쓰는 유용한 문장

046
>>
060

- We're _____.
  우리 일행은 모두 4명이에요.

- We're _____.
  우린 기계 부품이에요.

- _____.
  아주 초만원이에요.

- _____!
  다시 온 것을 환영해요.

- _____.
  잘 했어요.

- Well, _____.
  음. 당신이 분명 좋아하실 거예요.

- _____?
  어떻게 지내요?

- _____?

  그것을 뭐라고 하지요?

- We visit his grave every _____.

  저희는 때때로 그의 산소를 찾아갑니다.

- _____ your grandma.

  당신의 할머니를 저희가 돌봐드릴게요.

- We'll _____.

  우리는 이것 다음에 본론으로 들어갈게요.

- _____?

  별 일 있어요?

- _____?

  오늘의 특별요리가 무엇이죠?

- _____!

  뻔뻔하네요.

- _____!

  다행이네요.

061
>>
075

What are friends for?

친구 좋다는 것이 뭐니?

What are the pitfalls of a movie theater?

영화관의 단점은 무엇인가요?

pitfall
(눈에 잘 안 띄는) 위험,
곤란

What are the secrets to a new lease on life?

새롭게 변신하는 데 성공한 비결이 뭐예요?

What brings you here?

어떤 일로 오셨어요.

What did you say?

뭐라구요?

What do you do?

무슨 일 하세요?

What do you know?

알고 있는 게 뭐죠?

- **What do you mean?**

  무슨 의미에요?

- **What do you say?**

  어떻게 생각하세요?

- **What do you think of it?**

  어떻게 생각하세요?

- **What do you think?**

  어떻게 생각하세요?

- **What for?**

  왜요?

- **What is it?**

  무슨 일이지요?

- **What is your pet peeve?**

  당신을 짜증나게 하는 건 뭐예요?

- **What is your two-cents on marriage?**

  결혼에 대해서 어떻게 생각해요?

two-cents
의견, 견해

매일 쓰는 유용한 문장

061 >> 075

○ _____?
친구 좋다는 것이 뭐니?

○ _____ a movie theater?
영화관의 단점은 무엇인가요?

○ _____ a new lease on life?
새롭게 변신하는 데 성공한 비결이 뭐예요?

○ _____?
어떤 일로 오셨어요.

○ _____?
뭐라구요?

○ _____?
무슨 일 하세요?

○ _____?
알고 있는 게 뭐죠?

○ _____?

무슨 의미에요?

○ _____?

어떻게 생각하세요?

○ _____?

어떻게 생각하세요?

○ _____?

어떻게 생각하세요?

○ _____?

왜요?

○ _____?

무슨 일이지요?

○ What is your _____?

당신을 짜증나게 하는 건 뭐예요?

○ What is your _____?

결혼에 대해서 어떻게 생각해요?

○ **What makes you say that?**

무슨 근거로 그렇게 말하세요?

○ **What should I do if his condition gets worse after hours?**

퇴근 후에 그가 더 안 좋아지면 제가 어떻게 해야 할까요?

○ **What should I do in the event of a fire?**

불이 났을 때 저는 무엇을 해야 하죠?

> **in the event of** 만약 ~일 경우

○ **What time is it?**

몇 시인가요?

○ **What're you doing, calling me in the dead of night?**

이 한 밤중에 전화를 다 하시다니 무슨 일이세요?

○ **What's eating you?**

무슨 일 있으세요?

> **What's eating you?** 무슨 걱정이 있냐고 묻는 의미

○ **Whatever happens, it's no skin off my nose.**

어떤 일이 일어나든지 저와 아무 상관이 없어요.

- **Whatever you say.**

  당신이 뭐라고 하시던지요.

- **When he sings, I get goose bumps.**

  그가 노래를 부르면 나는 닭살이 돋는다.

- **When it comes down to it, it is to rely on word of mouth.**

  결국엔 그건 입소문에 의지하는 거죠.

- **When it comes to math, I'm an idiot.**

  수학이라면 전 잘 몰라요.

- **When you've done that, all that's left to do is just eat it.**

  그렇게 한 다음에는 그 음식을 먹는 일만 남았어요.

all that's left to do 남은 할 일은

- **When's it set?**

  언제가 배경이에요?

- **Where do we go from here?**

  앞으로 어떻게 하면 좋을까요?

- **Where have you been?**

  어디 계셨어요?

매일 쓰는 유용한 문장 ──

○ _____?
무슨 근거로 그렇게 말하세요?

○ What should I do _____
after hours?
퇴근 후에 그가 더 안 좋아지면 제가 어떻게 해야 할까요?

○ What should I do _____?
불이 났을 때 저는 무엇을 해야 하죠?

○ _____?
몇 시인가요?

○ What're you doing, _____?
이 한 밤중에 전화를 다 하시다니 무슨 일이세요?

○ _____?
무슨 일 있으세요?

○ Whatever happens, _____.
어떤 일이 일어나든지 저와 아무 상관이 없어요.

- _____.

  당신이 뭐라고 하시던지요.

- When he sings, _____.

  그가 노래를 부르면 나는 닭살이 돋는다.

- When it comes down to it,

  _____.

  결국엔 그건 입소문에 의지하는 거죠.

- _____, I'm an idiot.

  수학이라면 전 잘 몰라요.

- When you've done that,

  _____.

  그렇게 한 다음에는 그 음식을 먹는 일만 남았어요.

- _____?

  언제가 배경이에요?

- _____?

  앞으로 어떻게 하면 좋을까요?

- _____?

  어디 계셨어요?

○ **Where should we go to have a quick bite?**

간단히 식사를 하려면 어디로 가는 것이 좋을까요?

➤ a quick bite
재빨리 한 입 먹기

○ **Whether you like it or not, you have to do it.**

당신이 좋든 싫든 그것을 해야 해요.

○ **Who is in charge of cleaning?**

청소 담당은 누구인가요?

○ **Who is responsible for cleaning?**

누가 청소를 담당하나요?

○ **Whom does this book belong to?**

이 책은 누구의 것인가요?

○ **Why are you raising your voice?**

왜 언성을 높이는 거죠?

➤ raise (무엇을 위로)
들어올리다

○ **Why are you so bundled up?**

왜 그렇게 껴입고 있나요?

Why are you so short-handed?

왜 그렇게 일손이 부족한가요?

Why did Cathy just give you a dirty look?

캐시가 왜 당신을 째려봤나요?

Why do you always have to call the shots?

왜 맨날 네가 대장 노릇을 하려 드니?(주도권을 쥐려고 하니?)

call the shots
(상황을) 지휘[통제]
하다

Why don't you carry the ball for us?

우릴 위해 총대를 매주면 어때?

Why don't you come over and keep me company?

제 집에 들려서 함께 있어주는 게 어때요?

Why have you got all choked up?

왜 목이 메였나요?

Why is Jim grinning from ear to ear?

짐이 왜 그렇게 활짝 웃고 있는 거죠?

With all due respect, can you keep your voice down?

이런 말씀 드려 죄송합니다만, 목소리를 좀 낮춰줄 수 있나요?

매일 쓰는 유용한 문장

○ Where should we go _____?
간단히 식사를 하려면 어디로 가는 것이 좋을까요?

○ _____, you have to do it.
당신이 좋든 싫든 그것을 해야 해요.

○ Who is _____?
청소 담당은 누구인가요?

○ _____?
누가 청소를 담당하나요?

○ _____?
이 책은 누구의 것인가요?

○ Why are you _____?
왜 언성을 높이는 거죠?

○ Why are you _____?
왜 그렇게 껴입고 있나요?

- Why are you _____?
  왜 그렇게 일손이 부족한가요?

- Why did Cathy _____?
  캐시가 왜 당신을 째려봤나요?

- Why do you _____?
  왜 맨날 네가 대장 노릇을 하려 드니?(주도권을 쥐려고 하니?)

- Why don't you _____?
  우릴 위해 총대를 매주면 어때?

- Why don't you _____?
  제 집에 들려서 함께 있어주는 게 어때요?

- Why have you _____?
  왜 목이 메였나요?

- Why is Jim _____?
  짐이 왜 그렇게 활짝 웃고 있는 거죠?

- _____, can you keep
  your voice down?
  이런 말씀 드려 죄송합니다만, 목소리를 좀 낮춰줄 수 있나요?

매일 쓰는 유용한 문장 암기 연습

106
»
120

○ **Would it be a problem if I invited him to our party?**
제가 그 친구를 우리 모임에 초대하면 문제가 될까요?

○ **Would it be asking too much?**
무리한 부탁을 드리는 걸까요?

○ **Would you be so kind as to bring me one more blanket?**
담요 하나만 더 갖다 주실 수 있으신가요?

○ **Would you care for a cup of coffee?**
커피 한 잔 하시겠어요?

care for
∼을 좋아하다

○ **You're wasting your time.**
시간 낭비만 하고 있어요.

○ **You're welcome.**
천만에요.

- **You are a lucky duck.**

  당신은 행운아에요.

- **You are ahead of schedule.**

  예정보다 빠르시네요.

  ● ahead of
  (공간 · 시간상으로)
  ~앞에

- **You are drinking three cups of coffee in a row.**

  당신은 커피를 연속해서 세 잔을 마시고 있어요.

- **You are driving me crazy.**

  완전 짜증나게 하네요.

- **You are finally going to drop a bombshell on them.**

  당신은 결국 그들에게 폭탄 선언을 하려는 군요.

- **You are getting better.**

  점점 좋아지고 있어요.

- **You are soaked!**

  흠뻑 젖었군요.

  ● soak (액체 속에 푹)
  담그다, 담기다

- **You are teasing me.**

  지금 절 놀리시네요.

- **You are telling me.**

  동감이에요.

- _____ if I invited him to our party?

  제가 그 친구를 우리 모임에 초대하면 문제가 될까요?

- _____?

  무리한 부탁을 드리는 걸까요?

- Would you be _____?

  담요 하나만 더 갖다 주실 수 있으신가요?

- _____?

  커피 한 잔 하시겠어요?

- _____.

  시간 낭비만 하고 있어요.

- _____.

  천만에요.

- _____.

  당신은 행운아에요.

- You are _____.

  예정보다 빠르시네요.

- You are _____.

  당신은 커피를 연속해서 세 잔을 마시고 있어요.

- _____.

  완전 짜증나게 하네요.

- You are finally going

  _____.

  당신은 결국 그들에게 폭탄 선언을 하려는 군요.

- _____.

  점점 좋아지고 있어요.

- _____!

  흠뻑 젖었군요.

- _____.

  지금 절 놀리시네요.

- _____.

  동감이에요.

You are too much.

너무하시네요.

You are wearing your sweater inside out.

스웨터를 뒤집어서 입고 있네요.

inside out
(안팎을) 뒤집어

You asked for it.

자업자득이에요.

You bet.

당연한 말씀.

You bet?

내기 할래요?

You can choose whichever, for all I care.

당신 좋을 대로 하면 돼요. 전 상관없어요.

You can come at your convenience.

편하실 때 오시면 돼요.

- **You can go at your own speed.**

  원하는 속도를 유지할 수 있어요.

- **You can set your own pace.**

  페이스를 조절할 수 있어요.

- **You can order regardless of cost.**

  금액에 상관없이 주문해도 되요.

● regardless of
~에 상관없이,
~에 구애받지 않고

- **You can say that again.**

  그러게 말이에요.

- **You can say that again.**

  당연한 말씀.

- **You can't always go by the books, you know.**

  항상 원칙대로 할 수는 없어요.

● go by the book
원칙대로 하다

- **You can't back out now!**

  이제 와서 발을 빼시면 안 되죠!

- **You can't beat it especially when you're on the move.**

  이동 중일 때는 그만한 것이 없죠.

매일 쓰는 유용한 문장

- _____.
  너무하시네요.

- You are _____.
  스웨터를 뒤집어서 입고 있네요.

- _____.
  자업자득이에요.

- _____.
  당연한 말씀.

- _____?
  내기 할래요?

- You can choose whichever, _____.
  당신 좋을 대로 하면 돼요. 전 상관없어요.

- You can _____.
  편하실 때 오시면 돼요.

- You can _____.
  원하는 속도를 유지할 수 있어요.

- You can _____.
  페이스를 조절할 수 있어요.

- You can _____.
  금액에 상관없이 주문해도 되요.

- _____.
  그러게 말이에요.

- _____.
  당연한 말씀.

- You can't _____.
  항상 원칙대로 할 수는 없어요.

- You can't _____!
  이제 와서 발을 빼시면 안 되죠!

- You can't _____.
  이동 중일 때는 그만한 것이 없죠.

- **You can't see the forest for the trees.**

  나무만 보고 숲을 못 본다.

- **You cannot fool me.**

  절 속일 수 있다고 생각하지 마세요.

  → fool ~를 속이다, 기만하다

- **You didn't get your money's worth, right?**

  돈 좀 아까웠죠?

- **You don't need to hang back.**

  망설일 필요 없어요.

- **You first.**

  먼저 하세요.

- **You flatter me.**

  과찬이세요.

  → flatter 아첨하다, 알랑거리다

- **You get what you pay for.**

  싼 게 비지떡이죠.

- **You got it.**

  이해를 하셨군요.

- **You have a great eye for color.**

  당신은 색에 대한 좋은 안목을 가졌네요.

- **Well, you're barking up the wrong tree this time.**

  글쎄, 이번에는 사람을 잘못 고른 것 같은데.

- **You have lost me.**

  무슨 말씀인지?

- **You have the wrong number.**

  전화 잘못 거셨습니다.

- **You hit the nail on the head.**

  당신은 정곡을 찌르네요.

- **You just caught me off guard.**

  제가 방심한 틈을 잡았군요.

- **You know the roads are crawling with cars.**

  도로에 차가 꽉 들어 찬 거 알잖아요.

• crawl
기다, 몹시 느리게 가다

매일 쓰는 유용한 문장

○ _____.

나무만 보고 숲을 못 본다.

○ _____.

절 속일 수 있다고 생각하지 마세요.

○ _____?

돈 좀 아까웠죠?

○ You don't _____.

망설일 필요 없어요.

○ _____.

먼저 하세요.

○ _____.

과찬이세요.

○ _____.

싼 게 비지떡이죠.

- _____.
  이해를 하셨군요.

- You _____.
  당신은 색에 대한 좋은 안목을 가졌네요.

- Well, you're _____ this time.
  글쎄, 이번에는 사람을 잘못 고른 것 같은데.

- _____.
  무슨 말씀인지?

- _____.
  전화 잘못 거셨습니다.

- _____.
  당신은 정곡을 찌르네요.

- _____.
  제가 방심한 틈을 잡았군요.

- _____.
  도로에 차가 꽉 들어 찬 거 알잖아요.

You look a little down in the dumps.

당신은 좀 우울해 보여요.

You look good.

좋아 보여요.

You must be crazy.

정신이 나간게 틀림 없어요.

must be ~임에 틀림
없다

You name it.

말씀만 하세요.

You need to get with the times.

당신은 시대에 발맞출 필요가 있어요.

You never go wrong with a decent suit.

괜찮은 정장은 실패할 일이 거의 없어요.

decent
괜찮은, 제대로 된

You really put your foot in your mouth.

정말 큰 실수를 했네요.

You said it.
지당한 말씀.

You said that my boss said I should be given the boot.
제 상사가 제가 해고돼야 한다고 얘기했다고 그랬잖아요.

You scratch my back, and I'll scratch yours.
누이 좋고 매부 좋고.

You should get in shape.
운동 좀 하셔야겠어요.

● get in shape
좋은 몸 상태(몸매)를
유지하다

You should take advantage of this opportunity.
당신은 이 기회를 잘 이용하세요.

You shouldn't put off your work.
당신은 일을 미루지 않아야 해요.

You stay out of it.
끼어들지 마세요.

You took the words out of my mouth.
제 말이 그 말이에요.

매일 쓰는 유용한 문장

151
>>
165

- You _____.

  당신은 좀 우울해 보여요.

- _____.

  좋아 보여요.

- _____.

  정신이 나간게 틀림 없어요.

- _____.

  말씀만 하세요.

- _____.

  당신은 시대에 발맞출 필요가 있어요.

- _____.

  괜찮은 정장은 실패할 일이 거의 없어요.

- _____.

  정말 큰 실수를 했네요.

- _____.

  지당한 말씀.

- You said that my boss said

  _____.

  제 상사가 제가 해고돼야 한다고 얘기했다고 그랬잖아요.

- _____.

  누이 좋고 매부 좋고.

- _____.

  운동 좀 하셔야겠어요.

- You should _____.

  당신은 이 기회를 잘 이용하세요.

- You shouldn't _____.

  당신은 일을 미루지 않아야 해요.

- _____.

  끼어들지 마세요.

- _____.

  제 말이 그 말이에요.

○ **You went too far this time.**

이번에 좀 지나쳤어요.

○ **You will face more problems down the road.**

당신은 앞으로 더 많은 문제에 직면할 거예요.

➤● face (상황에) 직면하다, 닥쳐오다

○ **You will get the feel of it soon.**

당신은 곧 그것에 익숙해질 거예요.

○ **You will have to finish this work sooner or later.**

당신은 조만간 이 일을 끝내야 할 거예요.

○ **You will know the truth before long.**

당신은 머지않아 사실을 알게 될 거예요.

○ **You win.**

당신이 이겼어요.

○ **You're hacking up phlegm.**

당신은 가래를 뱉잖아요.

- **You're so old school!**

  당신은 정말 예전 방식을 더 좋아하는군요.

- **You're talking out of your hat!**

  당신은 말도 안 되는 말을 하네요!

- **You've got the nutritious liquid at the push of a button.**

  당신은 아주 손쉽게 영양가 높은 주스가 완성될 거예요.

- **Take your time.**

  천천히 하세요. 진정하세요.

- **Tell me about it.**

  제 말이 그 말이에요.

- **Thanks for calling.**

  전화 주셔서 고마워요.

- **Thanks for everything.**

  여러 가지로 감사해요.

- **Thanks for the compliment.**

  칭찬해 주셔서 고맙습니다.

thanks for
~에 대해 고맙다 (for 다음에 동명사나 명사)

compliment 칭찬

매일 쓰는 유용한 문장

○ _____.
이번에 좀 지나쳤어요.

○ You will _____.
당신은 앞으로 더 많은 문제에 직면할 거예요.

○ You will _____.
당신은 곧 그것에 익숙해질 거예요.

○ You will _____.
당신은 조만간 이 일을 끝내야 할 거예요.

○ You will _____.
당신은 머지않아 사실을 알게 될 거에요.

○ _____.
당신이 이겼어요.

○ You're _____.
당신은 가래를 뱉잖아요.

- You're _____!
당신은 정말 예전 방식을 더 좋아하는군요.

- You're _____!
당신은 말도 안 되는 말을 하네요!

- You've got _____.
당신은 아주 손쉽게 영양가 높은 주스가 완성될 거예요.

- _____.
천천히 하세요. 진정하세요.

- _____.
제 말이 그 말이에요.

- _____.
전화 주셔서 고마워요.

- _____.
여러 가지로 감사해요.

- _____.
칭찬해 주셔서 고맙습니다.

May I interrupt you?

실례를 해도 될까요?

interrupt
방해하다, 가로막다

Maybe not.

그렇지 않을지도 모르죠.

Maybe some other time.

다른 때 보자고요.

Maybe.

그럴지도 모르죠.

Me, too.

저도 그래요.

Money talks.

결국 돈이 문제네요.

Most likely.

아마도 그럴 것이에요.

My boss has a green thumb.

제 상관은 원예솜씨가 있어요.

My brother got divorced last year.

제 남동생은 작년에 이혼을 했어요.

My effort will make a difference for the world.

저의 노력이 세상에 변화를 가져다 줄 것입니다.

The immigrants successfully put down roots in Korea.

immigrant 이민자

그 이민자들이 한국에 성공적으로 정착했다.

My grandma often gives me words of wisdom.

제 할머니께서 종종 지혜의 말씀을 해주세요.

My job is mainly putting out recycling on every Tuesday.

제가 하는 일은 주로 매주 화요일에 재활용 쓰레기를 내다 버리는 일이에요.

My Korean skills may be a little threadbare.

threadbare
낡아서 올이 다 드러난,
새로울 게 없는, 뻔한

제 한국어 실력은 아마 별 볼 일 없을 거예요.

My plan is up in the air.

저의 계획은 아직 미정이에요.

매일 쓰는 유용한 문장

- _____?

  실례를 해도 될까요?

- _____.

  그렇지 않을지도 모르죠.

- Maybe _____.

  다른 때 보자고요.

- _____.

  그럴지도 모르죠.

- _____.

  저도 그래요.

- _____.

  결국 돈이 문제네요.

- _____.

  아마도 그럴 것이에요.

- My boss _____.
  제 상관은 원예솜씨가 있어요.

- My brother _____.
  제 남동생은 작년에 이혼을 했어요.

- My effort will _____.
  저의 노력이 세상에 변화를 가져다 줄 것입니다.

- The immigrants successfully _____.
  그 이민자들이 한국에 성공적으로 정착했다.

- My grandma often _____.
  제 할머니께서 종종 지혜의 말씀을 해주세요.

- My job is mainly _____ on
  every Tuesday.
  제가 하는 일은 주로 매주 화요일에 재활용 쓰레기를 내다 버리는
  일이에요.

- My Korean skills may _____.
  제 한국어 실력은 아마 별 볼 일 없을 거예요.

- _____.
  저의 계획은 아직 미정이에요.

- **My pleasure.**
  천만에요.

- **My sister gave birth to a baby boy.**
  여동생이 아들을 낳았어요.

- **My uncle always made fun of me.**
  삼촌은 늘 나를 놀렸어요.

- **Never better.**
  최고에요.

- **Never mind.**
  신경 쓰지 마세요.

- **Never say die.**
  포기하지 마세요.

- **Never too late.**
  늦었다고 생각하지 마세요.

- **Next time.**

  다음에요.

- **Nice meeting you.**

  만나서 반가왔어요.

- **Nine times out of ten you will win the game.**

  십중팔구 당신이 게임을 이길 거예요.

  ● nine times out of ten

  십중팔구, 거의 매번

- **No dinner, no snacking whatsoever.**

  저녁도 간식도 전혀 먹지 않죠.

- **No hard feelings whatsoever.**

  감정을 상하게 하려는 건 아니었어요.

- **No harm, no foul.**

  상관없어요.

- **No kidding.**

  그럴 리가요.

- **No problem.**

  괜찮아요.

○ _____.

천만에요.

○ My sister _____.

여동생이 아들을 낳았어요.

○ My uncle _____.

삼촌은 늘 나를 놀렸어요.

○ _____.

최고에요.

○ _____.

신경 쓰지 마세요.

○ _____..

포기하지 마세요.

○ _____..

늦었다고 생각하지 마세요.

○ _____..

다음에요.

○ _____..

만나서 반가왔어요.

○ _____. you will win the game.

십중팔구 당신이 게임을 이길 거예요.

○ _____.

저녁도 간식도 전혀 먹지 않죠.

○ _____.

감정을 상하게 하려는 건 아니었어요.

○ _____.

상관없어요.

○ _____.

그럴 리가요.

○ _____.

괜찮아요.

- **No way.**

  절대 안 돼요.

- **No wonder.**

  어쩐지 그렇더라구요.

- **You seemed to understand what I was on about.**

  당신은 제가 무슨 이야기를 하고 있는지 이해하지 못하는 것 같았어요.

- **No strings attached.**

  아무 조건 없이요.

- **No sweat.**

  쉬운 일이죠.

  ↖ 별 거 아니다.
  문제 없다는 의미

- **Not a chance.**

  절대 안돼요.

- **Not bad.**

  좋은데요.

Not really

그렇지는 않아요.

Not sure I like where this is going.

not sure 잘 모르다

예감이 좋지 않은데요.

Not too good. (Not too bad)

그저 그래요.(나쁘지도 않구요.)

Nothing much.

별 것 없어요.

Nothing new about that.

그건 달라진 게 없어요.

Nothing new.

새로울 것 없어요.

Now what?

그래서요?

Now you are talking.

이제야 털어놓으시는군요.

○ _____.

절대 안 돼요.

○ _____.

어쩐지 그렇더라구요.

○ You seemed to _____.

당신은 제가 무슨 이야기를 하고 있는지 이해하지 못하는 것
같았어요.

○ _____.

아무 조건 없이요.

○ _____.

쉬운 일이죠.

○ _____.

절대 안돼요.

○ _____.

좋은데요.

○ _____.

그렇지는 않아요.

○ _____ I like where this is going.

예감이 좋지 않은데요.

○ _____.

그저 그래요.(나쁘지도 않구요.)

○ _____.

별 것 없어요.

○ _____ about that.

그건 달라진 게 없어요.

○ _____.

새로울 것 없어요.

○ _____.

그래서요?

○ _____.

이제야 털어놓으시는군요.

226
>>
240

Occupied.
사용 중이에요.

화장실 등 공간을 점유
하고 사용중임을 의미.

Off the top of my head, no.
지금 딱히 생각나는 사람이 없네요.

Oh, dear!
아니, 저런!

Okay, I'm sold.
네, 당신 말이 맞아요.

Okay.
알았어요.

Out of the question.
불가능해요.

On second, thought I decided to stay home.
다시 생각해보고 집에 있기로 했어요.

once
일단 ~하면(접속사)

- ## Once you get the hang of it, it's pretty easy.
  일단 감을 잡으면 상당히 쉬워요.

ready up
준비를 하다. 정돈하다.
치우다

- ## At least once a week, he readies up his house at night.
  그는 적어도 일주일에 하루 저녁에는 집안을 청소한다.

- ## People came from far and wide.
  사람들이 곳곳에서 찾아왔어요.

- ## People like traveling in general.
  사람들은 일반적으로 여행을 좋아해요.

- ## People shouldn't pester them.
  그들을 성가시게 하면 안 돼요.

- ## People train the dog to take a steamy dump there.
  사람들은 개가 그곳에서 볼일을 보도록 훈련을 시켜요.

- ## On the contrary.
  반대로요.

- ## Once in a blue moon.
  가뭄에 콩나듯이요.

매일 쓰는 유용한 문장

○ _____.

사용 중이에요.

○ _____.

지금 딱히 생각나는 사람이 없네요.

○ Oh, _____!

아니. 저런!

○ Okay, _____.

네. 당신 말이 맞아요.

○ _____.

알았어요.

○ _____.

불가능해요.

○ _____ I decided to stay

home.

다시 생각해보고 집에 있기로 했어요.

○ _____, it's pretty easy.

일단 감을 잡으면 상당히 쉬워요.

○ At least once a week, he _____.

그는 적어도 일주일에 하루 저녁에는 집안을 청소한다.

○ People _____.

사람들이 곳곳에서 찾아왔어요.

○ People _____.

사람들은 일반적으로 여행을 좋아해요.

○ People _____.

그들을 성가시게 하면 안 돼요.

○ People train the dog to

_____.

사람들은 개가 그곳에서 볼일을 보도록 훈련을 시켜요.

○ _____.

반대로요.

○ _____.

가뭄에 콩나듯이요.

○ **Pick it up!**

주우세요!

○ **Please accept it as a token of my gratitude.**

제 감사의 표시로 그것을 받아주세요.

○ **Please cut me some slack.**

사정을 좀 봐주세요.

○ **Please don't go ballistic in front of others.**

다른 사람들 앞에서 분통을 터뜨리지 마세요.

○ **Please enjoy yourself.**

즐기세요.

○ **Please fill out the form.**

이 양식을 작성해 주세요.

○ **Please relax.**

편히 계세요.

- **Please finish this task as soon as possible.**

  이 일을 되도록 빨리 완료해주세요.

as soon as possible
가능한 빨리

- **Please keep it a secret.**

  비밀로 해주세요.

- **Please refer to our website.**

  저희 웹사이트를 참고해주세요.

- **Please respect my privacy.**

  제 사생활을 존중해주세요.

- **Please say hello to your parents for me.**

  당신의 부모님께 안부를 전해주세요.

- **Please turn off all the lights.**

  모든 불을 꺼주세요.

turn off 끄다

- **Please.**

  제발요.

- **Opposite extremes have much in common.**

  극과 극은 통한다.

매일 쓰는 유용한 문장 ─

○ _____!

주우세요!

○ Please _____.

제 감사의 표시로 그것을 받아주세요.

○ Please _____.

사정을 좀 봐주세요.

○ Please _____.

다른 사람들 앞에서 분통을 터뜨리지 마세요.

○ Please _____.

즐기세요.

○ Please _____.

이 양식을 작성해 주세요.

○ _____.

편히 계세요.

- Please finish this task _____.
  이 일을 되도록 빨리 완료해주세요.

- Please _____.
  비밀로 해주세요.

- Please _____.
  저희 웹사이트를 참고해주세요.

- Please _____.
  제 사생활을 존중해주세요.

- Please _____.
  당신의 부모님께 안부를 전해주세요.

- Please _____.
  모든 불을 꺼주세요.

- _____.
  제발요.

- Opposite extremes _____.
  극과 극은 통한다.

- **Poor thing!**

  저런!

- **Pretty good!**

  좋아요!

- **Pull yourself together!**

  마음을 침착하게 가다듬어보세요!

- **Put your feet up.**

  여기에 앉아서 쉬어요.

- **Really?**

  정말요!

- **Relax.**

  느긋해 지세요.

- **You are lying through his teeth.**

  당신은 새빨간 거짓말을 하고 있어요.

- **Same here.**

  동감이에요.

Same old, same old.

늘 똑같죠, 뭐.

It will take a while to prepare dinner.

저녁을 준비하려면 시간이 좀 걸릴 거예요.

take a while
시간이 좀 필요하다

It would be nice to be chained to a cubicle.

직장에 매여 있는 게 좋을 수도 있어요.

Say hello for me.

안부 전해 주세요.

Say that again?

뭐라고요?

Say when.

그만이라고 말하세요.

See you later!

나중에 봐요.

매일 쓰는 유용한 문장

- _____!

  저런!

- _____!

  좋아요!

- _____!

  마음을 침착하게 가다듬어보세요!

- _____.

  여기에 앉아서 쉬어요.

- _____?

  정말요!

- _____.

  느긋해 지세요.

- You _____.

  당신은 새빨간 거짓말을 하고 있어요.

○ _____.

동감이에요.

○ _____.

늘 똑같죠, 뭐.

○ _____ to prepare dinner.

저녁을 준비하려면 시간이 좀 걸릴 거예요.

○ It would be nice to _____.

직장에 매여 있는 게 좋을 수도 있어요.

○ _____.

안부 전해 주세요.

○ _____?

뭐라고요?

○ _____.

그만이라고 말하세요.

○ _____!

나중에 봐요.

◦ **See you.**

안녕!

◦ **Serious?**

진심이에요?

◦ **Shame on you.**

부끄러운 줄 아세요.

◦ **She always shows off her jewelry.**

그녀는 항상 보석을 자랑하고 다녀요.

➥ show off 자랑하다

◦ **She didn't show up for the appointment.**

그녀는 약속시간에 나오지 않았어요.

◦ **She got fired from her job.**

그녀는 직장에서 해고되었어요.

◦ **She grabbed the snake without a hitch.**

그녀는 거침없이 뱀을 잡았어요.

- **She has a bun in the oven.**

  그녀는 임신했어요.

- **She hesitated to tell me the truth.**

  그녀는 저에게 진실을 말하기를 주저했어요.

hesitate
주저하다, 망설이다

- **She is (not) my style.**

  그녀는 제 타입이에요/아니에요.

- **She is a fence-sitter.**

  그녀는 결정력이 부족한 사람이에요.

- **She is a pain in the neck!**

  그녀는 정말 골치덩어리에요!

- **She is as stubborn as a mule.**

  그녀는 아주 고집이 세요.

- **She is good at French.**

  그녀는 프랑스어를 잘해요.

be good at
~을 잘하다

- **She is on her way to school.**

  그녀는 학교에 가고 있어요.

매일 쓰는 유용한 문장

○ _____.
안녕!

○ _____?
진심이에요?

○ _____.
부끄러운 줄 아세요.

○ She always _____.
그녀는 항상 보석을 자랑하고 다녀요.

○ She didn't _____.
그녀는 약속시간에 나오지 않았어요.

○ She _____.
그녀는 직장에서 해고되었어요.

○ She _____.
그녀는 거침없이 뱀을 잡았어요.

- She _____.
  그녀는 임신했어요.

- She _____.
  그녀는 저에게 진실을 말하기를 주저했어요.

- She _____.
  그녀는 제 타입이에요/아니에요.

- She _____.
  그녀는 결정력이 부족한 사람이에요.

- She _____!
  그녀는 정말 골치덩어리에요!

- She is _____.
  그녀는 아주 고집이 세요.

- She is _____.
  그녀는 프랑스어를 잘해요.

- She is _____.
  그녀는 학교에 가고 있어요.

- ## She is very sophisticated.
  그녀는 매우 세련되었어요.

- ## She knows her way around.
  그녀는 어떻게 해야 하는지 알아요.

- ## She looks young for her age.
  그녀는 나이에 비해 어려 보여요.

- ## She passed away last month.
  그녀는 지난 달에 돌아가셨어요.

- ## Shoot!
  제기랄!

- ## Skip it!
  다음으로 넘어가죠.

- ## She really knows how to push my buttons.
  그녀는 정말 제 성질을 건드려요.

  push one's buttons ~를 화나게 하다

- ## She passed out last night.
  그녀가 어제 기절했어요.

over and over
again 반복해서

- **She repeated herself over and over again.**

  그녀는 반복해서 자신이 한 말을 되풀이했어요.

- **She said I had to go back to square one.**

  그녀는 내가 원점으로 되돌아가야 한다고 말했다.

- **She turned pale when she heard the news.**

  그녀는 소식을 듣고 창백해졌어요.

- **She went to a hair shop to get a perm.**

  그녀는 파마를 하러 미용실에 갔어요.

- **Shopping at this store is burning a hole in my pocket.**

  이 가게에서 쇼핑하느라 쓸데없이 돈을 다 썼어요.

- **So far, so good.**

  아직까지는 좋아요.

- **She is still adjusting to the new environment.**

  그녀는 아직 새로운 환경에 적응해가고 있어요.

매일 쓰는 유용한 문장

- She is very _____.

  그녀는 매우 세련되었어요.

- She knows _____.

  그녀는 어떻게 해야 하는지 알아요.

- She _____.

  그녀는 나이에 비해 어려 보여요.

- She _____.

  그녀는 지난 달에 돌아가셨어요.

- _____!

  제기랄!

- _____!

  다음으로 넘어가죠.

- She really knows _____.

  그녀는 정말 제 성질을 건드려요.

- She _____.
  그녀가 어제 기절했어요.

- She repeated herself _____.
  그녀는 반복해서 자신이 한 말을 되풀이했어요.

- She said I had to _____.
  그녀는 내가 원점으로 되돌아가야 한다고 말했다.

- She _____.
  그녀는 소식을 듣고 창백해졌어요.

- She _____.
  그녀는 파마를 하러 미용실에 갔어요.

- Shopping at this store is

  _____.

  이 가게에서 쇼핑하느라 쓸데없이 돈을 다 썼어요.

- _____.

  아직까지는 좋아요.

- She is still _____.
  그녀는 아직 새로운 환경에 적응해가고 있어요.

- **So much for that.**
  이제 그 일은 그만하지요.

- **So soon?**
  그렇게 빨리요?

- **So what?**
  그래서요?

- **So, what's the bottom line?**
  그래서, 핵심이 뭔가요?

- **Sold out.**
  매진이에요.

- **Something's never changed.**
  절대 안 변하는 것이 있지요.

- **Something is fishy.**
  뭔가 이상한데요.

Sometimes I wonder how we both landed this gig.

가끔 어떻게 우리 둘 다 이 일에 종사하게 되었는지 궁금해요.

wonder how
어떻게 ~인지 궁금
하다

Do you mind if I ask you to take a photo for me please?

괜찮으시다면 사진 한 장 찍어주실 수 있나요?

Sounds like a good way to let your hair down.

긴장을 푸는(머리를 식히는) 좋은 방법 같아요.

Speak of the devil and here he is.

호랑이도 제 말하면 온다더니, 그가 오네요.

Speak of the
devil. 호랑이도 제 말
하면 온다.

Sorry to bother you.

귀찮게 해서 죄송해요.

Sounds good.

좋은 생각이에요.

Speak out.

크게 말하세요.

Speaking English?

영어 하세요?

301
>>
315

- _____.

  이제 그 일은 그만하지요.

- _____?

  그렇게 빨리요?

- _____?

  그래서요?

- So, _____?

  그래서. 핵심이 뭔가요?

- _____.

  매진이에요.

- _____.

  절대 안 변하는 것이 있지요.

- _____.

  뭔가 이상한데요.

- Sometimes I _____.
  가끔 어떻게 우리 둘 다 이 일에 종사하게 되었는지 궁금해요.

- _____ you to take a photo for me please?
  괜찮으시다면 사진 한 장 찍어주실 수 있나요?

- _____ to let your hair down.
  긴장을 푸는(머리를 식히는) 좋은 방법 같아요.

- _____ and here he is.
  호랑이도 제 말하면 온다더니, 그가 오네요.

- _____.
  귀찮게 해서 죄송해요.

- _____.
  좋은 생각이에요.

- _____.
  크게 말하세요.

- _____?
  영어 하세요?

○ **Speaking.**

전데요.

○ **Stay cool.**

진정해요.

○ **Stay longer.**

좀 더 계세요.

○ **Stay out of trouble.**

괜히 끼어들지 마세요.

○ **Speaking of which, the other big loser is your company.**

이야기가 나온 김에 하는 말인데, 크게 손해 보는 다른 쪽은 당신네 회사예요.

○ **Stick around.**

주변에 계세요.

○ **Stick with it.**

계속 해봐요.

- **Stop complaining.**

  불평 좀 그만하세요.

- **Stop staring at him.**

  그를 뚫어지게 쳐다보지 마세요.

- **Stop beating around the bush, and just get to the point.**

  돌려 말하지 말고, 그냥 요점을 말해요.

beat around the bush
둘러 말하다. 요점을 피하다

- **Stress can cause a whole host of problems for our physical.**

  스트레스는 육체 건강에 수많은 문제들을 일으킬 수 있어요.

- **Suit yourself!**

  편할 대로 하세요.

- **Super.**

  짱이에요.

- **Sure thing.**

  그럼요.

- **Sure.**

  물론이요.

매일 쓰는 유용한 문장

○ _____.
전데요.

○ _____.
진정해요.

○ _____.
좀 더 게세요.

○ _____.
괜히 끼어들지 마세요.

○ _____, the other big loser is
your company.
이야기가 나온 김에 하는 말인데, 크게 손해 보는 다른 쪽은 당신
네 회사예요.

○ _____.
주변에 계세요.

○ _____.
계속 해봐요.

o _____.

불평 좀 그만하세요.

o _____.

그를 뚫어지게 쳐다보지 마세요.

o Stop _____, and just get to the
point.

돌려 말하지 말고, 그냥 요점을 말해요.

o _____ a whole host of problems
for our physical.

스트레스는 육체 건강에 수많은 문제들을 일으킬 수 있어요.

o _____!

편할 대로 하세요.

o _____.

짱이에요.

o _____.

그럼요.

o _____.

물론이요.

○ **Sweet dreams.**

잘 자요.

○ **Take a guess.**

맞춰봐요.

○ **Take a look at the picture.**

사진을 보세요.

331
>>
333

○ _____.

잘 자요.

○ _____.

맞춰봐요.

○ _____.

사진을 보세요.